—城市養蜂是Bee要的—

打造我家的

獨居蜂

旅 COME BACK to ME 館

An urban bee-keeping project
without beekeeping

城市方舟工作室

王庭碩、扶尚睿、謝宗叡

—— 著 ——

打造獨居蜂旅館

當提到蜂類（包括 bee 與 wasp），你會想到甚麼呢？bee（蜜蜂）通常會讓人想到蜂蜜、花朵或授粉等正面字眼，但若提到 wasp（胡蜂），尤其是虎頭蜂，可能就只會想到螫針、疼痛、擾人等較為負面的字眼。

在中文裡，一般並未區分 bee 與 wasp 的使用，加上我們對蜂類稱呼不一致，容易導致混淆。例如電影《大黃蜂》，英文使用的是 bumblebee，雖也是一類蜜蜂，更適切的稱呼是「熊蜂」。牠們通常體型肥胖，全身毛茸茸的，用可愛形容並不為過，但中文翻譯成大黃蜂（胡蜂）反而較為符合劇情那種威猛角色。因此，即使凶猛如虎頭蜂的物種，在台灣也經常與較溫馴的蜜蜂一詞混用。造成長久以來，受到虎頭蜂螫人惡名所累，甚至是螫人致死，使得蜂類的名聲一直不太好，往往是讓人聞「蜂」色變。

在自然界中，豐富且多樣的蜂類扮演授粉、捕食或寄生等生態功能角色，而人們所熟知會釀蜂蜜的蜜蜂，或是讓人聞風喪膽的虎頭蜂，這兩類蜂僅僅占了蜂類大家族中的極小部分。本書的主角獨居蜂，相信許多民眾會相當陌

生，其實是屬於獨棲性（單獨育幼）的一類蜂，與屬於社會性（共同育幼）的蜜蜂或虎頭蜂不同，加上許多的獨居蜂個體很小，多數民眾往往忽略了牠們的存在，發現時也沒有意識到牠們是蜂類。透過本書一開始的章節：城市與蜂、獨居蜂的介紹，讀者對於獨居蜂會有基本的認識。

都市生態學裡野蜂的研究逐漸為人所重視，國外許多大城市的研究，例如德國的柏林、英國的倫敦、澳洲的墨爾本、加拿大的溫哥華，及美國的芝加哥、紐約、舊金山等，結果顯示都市蜂類多樣性的豐富。健全都市綠色基礎設施的規劃，有效地保留或栽植蜂類利用的原生蜜源植物，以確保都市提供足夠的蜜源與蜂類的棲息地，都有助都市生物多樣性的維護，而促進都市林品質。

從生態的角度看健全的都市林，其中蜂類扮演授粉者和捕食者的角色，是一種有益於作物授粉或害蟲生物防治的生物，透過公民科學推動打造獨居蜂旅館，使社會大眾對都市林的蜂類能有初步認識，消彌或降低對蜂類不必要的恐懼，亦能促進城市居民及社區保護原生蜂類物種。

蜂旅館（bee hotels）也就是這些獨居蜂居住的房子，也可稱為誘引巢體（trap nests），這是一種蜂類調查的方法，能作為蜂類的生態及監測調查，在美國也有稱蜜蜂公寓（bee condos），國外也早有作物授粉商業化的利用。雖

然目前稱蜂旅館儼然成一種時尚，但這種說法容易產生誤導，因為有許多的房客是 wasp，而不是 bee 喔！此外，這些蜂不像一般旅館房客短住數日，少則一兩個月，也可能度冬長達半年以上，比較像是長期租用公寓為家。

蜂旅館的營造，雖能增加獨居蜂的棲息環境，促進獨居蜂生態與行為的研究。但是，當大量的人工巢穴出現時，是否可能使得某些常見蜂類的族群數目在一定區域內大量增加？因此可能改變一些相關的生態過程，這樣的問題也是未來推動時需要注意的重點。

如何製作和管理維護蜂旅館，這是一本入門的好用工具書，由具有實務操作的團隊「城市方舟工作室」三位朋友，將多年的蜂旅館操作與推廣經驗娓娓道來。全書許多用語非常口語化，也能與人們經驗相結合，如房客、房東、恐怖旅社、育嬰空間、忙碌的單親媽媽等，雖然部分措辭用語採取擬人化，卻有效地推廣了獨居蜂的概念。蜂旅館雖然只能提供少數種類獨居蜂築巢的場所，但是利用牠們觀察獨居蜂是非常有趣且具有教育的意義，因此能在許多校園成功的推動，透過「台灣賞蜂地圖」，能夠更加了解這項計畫推動的成果。

本書禮盒版附上特別開發的蜂之樹旅館，趕緊打開動手做，打造自己的蜂旅館，迎接一批新入住的蜂，再透過

透明片進行內部觀察，將可讓你更深入地認識獨居蜂生活史。透過營造都市綠地、公園，甚至自家庭院，種植蜜粉源植物，建立友善蜂類的家園——蜂旅館，讓獨居蜂在城市中能有更多更好的生存空間。

陸聲山

林業試驗所福山研究中心‧研究員兼主任

CONTENTS

1
城市與蜂。

著手打造獨居蜂旅館之前，
有些問題值得先好好思考。

試著轉轉腦袋，我們居住的城市長相如何？

多數人腦中此刻浮現的畫面，應該都是高樓大廈、車水馬龍的模樣。沒錯，那正是我們的城市：高度發展且嚴重都市化。我們逐漸把森林邊界越推越遠，許多原本一起生活在平地的生物（如石虎與一些鍬形蟲）只能隨之退去。隨著近年全球環境保育意識抬頭，越來越多人開始關注**城市發展產生的環境問題**，像是工廠的汙染排放；而在昆蟲的議題中，又以蜜蜂消失最受注目。

蜜蜂近幾年受到環境變遷、農藥汙染等等外在因素的影響，許多國家的蜜蜂族群都大幅下降。同時也因為蜜蜂大量消失，開始有團體提倡城市養蜂，注意到城市中的綠地不足，台灣也逐步興起環境綠化，如增加公園綠地、綠建築等設施，嘗試把自然帶回城市。

▲ 城市頂樓花園

屋頂花園設計理念

　　不論是集合式住宅、社區或商辦大樓,都適合在閒置的屋頂、天台種植植物,建置空中花園,扶疏的綠意不僅可以美化環境,還能舒緩城市帶來的環境危害。植物能吸收二氧化碳,淨化空氣,有助於減少城市熱島效應,進一步降低能源消耗,調節微氣候,改善全球暖化、氣候變遷的問題,好處多多,在環保議題上越來越受重視。屋頂綠化對建物本身也像一座防護罩,能有效隔熱降溫,省電節能,提高資源有效利用。

　　不過,在建置屋頂花園以前,必須請各方專家評估,確認屋頂樓板的荷重能力,審慎規劃整體防水、給水、排水方式,以不至漏水、堵水、塌陷等危及建築結構的方式陳列。

　　照護植物亦不失為紓緩壓力的好方法,同時你也會慢慢發現,都市裡蟲鳥鳴叫越來越近,不再需要往郊外跑,才能聽見這般悅耳的聲音。而一座優質的綠屋頂,甚至可以成為小型農場,來訪的蜂類有助授粉、減少害蟲,配合堆肥再利用,降低對農藥的依賴,有利於都市農業實行友善農法,建立生物宜居的綠色城市。

Q 若想增加城市綠意，適合城市生存的植物有哪些？

　　如果仔細觀察，其實城市裡的植物種類相當多，可依功能初步歸成三大類：

　　一、馬路邊緣或公園裡的**行道樹喬木**，像是榕樹、白千層、黑板樹、樟樹、台灣欒樹、盾柱木、紫薇等。

　　二、花圃的地面**小型灌木**，像是扶桑、杜鵑、馬櫻丹、厚葉石斑木、薰衣草、金露花、繁星花、粉撲花等。

　　三、家中窗台或安全島上常見的**盆栽草花**，像是秋海棠、藍星花、鳳仙花、石竹、雪茄花、波斯菊、仙草等。

❶-❸ 杜鵑花；馬櫻丹；
繁星花；❹-❻ 秋海棠；
鳳仙花；藍星花。

❶-❸ 白千層；
黑板樹；雀榕。

Q 城市植物扮演哪些關鍵角色？

首先，這些開花植物，大多是在城市裡苦撐生活的昆蟲**食物來源**。有些屬於**蜜源植物**，提供花蜜或蜜腺，產生蜜露給訪花者，如白千層會在特定的時間進入流蜜期；莿桐則有蜜腺可以吸引一些昆蟲前來取食。有些則是**粉源植物**，提供花粉——即這些昆蟲繁衍後代所需的蛋白質給訪花者，如台灣欒樹、大花咸豐草（鬼針草）都是常見的粉源植物。

再來，開花植物需要**授粉**才會結果，所以這些植物也不是白白送出蜜汁、花粉給來訪的小動物，大多是希望藉由這些訪花動物四處遊走，在「捻花惹草」的過程中把花粉沾染至其他朵花上，達到傳宗接代的目的。

授粉的方式可以分為**非生物授粉**及**生物授粉**：最常見的非生物授粉是靠著**風力**或**水**作為媒介傳播花粉，約有20%的開花植物屬於非生物授粉，其他則依靠**授粉者**。雖然大部分植物都需要授粉者，但並不是說沒有授粉者就完全無法進行授粉，而是透過授粉者能夠大幅提升植物的授粉效率。

Q 城市有哪些訪花者／授粉者？

　　說到這些**訪花者／授粉者**，種類非常多樣，小至螞蟻、蒼蠅、蜂類，大至蝴蝶、鳥類、哺乳動物等，都可能不經意地在花叢間促成一段「良緣」。此外還有不少鳥類、兩生爬蟲類、蜘蛛及昆蟲等，牠們是環境中的**捕食者**，正好可以幫助城市小農們清除作物上的害蟲大軍。

　　不論這些客人是否刻意來訪，其中有群昆蟲涵蓋了「訪花大師」及「獵捕高手」，那就是**蜂**。蜂屬於膜翅目，膜翅目也是昆蟲綱裡前三大的目（另兩目為鞘翅目及鱗翅目），膜翅目底下除了蜂以外，螞蟻也算在其中，若把蜂跟蟻已經命名的種類加起來，全世界就超過 153,000 種。光是在台灣，已經知道的蜂也超過 2,000 種，物種之龐大讓人為之驚嘆。這之中又以**蜜蜂**最廣為人知，牠們會採花蜜、製作蜂蜜；看看我們的餐桌，桌上超過三分之一以上的蔬果都仰賴蜜蜂授粉。

城市裡的訪花者／授粉者，大致有鳥、金龜、胡蜂、蜜蜂、蝴蝶、蛾、螞蟻。

Q 城市裡的蜂有何功用？

　　城市裡蜂當然是授粉關鍵，也時常可以看到工蜂遊走在居家花叢間。尤其近幾年台灣各地推廣**田園城市**，一來希望能夠提高城市裡畸零地的使用率，活化土地利用、增加城市綠化；二則提供都市人遊憩或自行生產有機蔬菜水果食用。倘若我們希望避免使用農藥、不想以一些植物激素來促進結果、考慮單一作物栽植易引來蟲害問題，就必須仰賴城市裡的授粉者或捕食者幫忙了！

Q 我們如何把蜂帶回城市？

　　蜂群在這 20 年來受到農藥、環境汙染以及氣候變遷影響，野外的族群，甚至人工飼養的族群數量都大幅衰退，導致一些極度需要蜂授粉的農作物遭遇到前所未有的難題。近幾年，開始有人提倡把**蜜蜂**帶進城市裡飼養，藉此保護牠們免於農藥迫害，也因此都市興起**城市養蜂**的風潮，保守估計台北地區可能就有超過上百戶人家陽台或頂樓養著蜜蜂。不過，這個流行也衍伸出新的問題——我們帶回城市裡的蜜蜂幾乎是日據時代引進台灣的外來種：西方蜂（ *Apis mellifera* ）。這些外來種蜜蜂可能會跟原本就生活在城市裡的授粉者，分食為數不多的蜜源植物，產生嚴重的競爭壓力。

　　另外，大多數人並不曉得城市中還有很多**獨居蜂**，不住在我們所熟知用蜂蠟製成的蜜蜂巢，或用植物纖維拼貼而成的虎頭蜂巢，而是利用斷木枝條、沙土地築巢。這些空間在城市裡更難覓得，也更容易遭受破壞，對於這些蜂來說，城市裡的環境是相當不利其生存的！

全球目前蜜蜂的數量還有多少？

　　近年來透過各種媒體的傳播，關於蜜蜂消失的議題屢見不鮮，然而中間有許多資訊在傳播的過程變了調。實際上 2006 年定義蜂群衰竭失調症候群（Colony Collapse Disorder）之後，美國飼養的蜜蜂數量就維持穩定甚至成長，全球人為飼養的蜜蜂數量也是如此。許多資訊亦指出美國在 1946 年飼養 590 萬箱蜜蜂，到 2016 年則只剩下不到一半的 280 萬箱，然而在這 70 年間蜂群數量的減少，主要是因為市場結構改變，美國人以糖取代蜂蜜作為甜味劑，同時開始大量進口蜂蜜。

　　縱然蜜蜂數量正在穩定成長，不代表蜜蜂的生存並未受到威脅，每年冬天損失的蜜蜂數量從過去認為的 15% 上升到了 30%。那為什麼每年蜜蜂損失數量上升的同時，蜜蜂總數量卻也呈逆勢上升呢？這是因為，這些蜜蜂屬於人為控管的重要經濟昆蟲，人們願意花更多金錢去維持牠們的數量；至於野外的其他授粉者可能就沒有這麼好的待遇了！

※ 更完整的資訊請參考：
Ferrier et al., 2018, Economic Effects and Responses to Changes in Honey Bee Health.

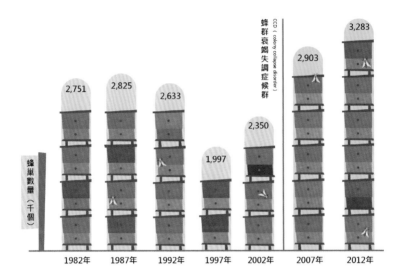

美國農業部統計從 1980 年代開始 30 年間的人工飼養蜜蜂族群箱數的變化。可以看出在發現蜂群衰竭失調症候群之後，蜜蜂族群數量不減反增，這可能與蜂農的飼育技巧與科技進步有關。

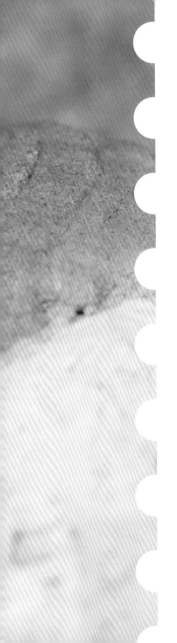

2

獨居蜂。

牠們不像蜜蜂、虎頭蜂那樣群居生活，
是鮮為人知，卻又相對多數的城市嬌客。
牠們是昆蟲界最忙碌的單親媽媽，
同時也是靈巧的授粉者與捕食者。

Q 世界上的蜂有哪些種類？

　　拿最常見的蜜蜂與虎頭蜂來說，假設現在我們在野外看到一隻蜂，你能憑印象說出蜜蜂跟虎頭蜂在外表上有什麼不同嗎？大概最先想到的，就是虎頭蜂比較凶、比較大；蜜蜂比較小隻，而且毛毛的。

　　的確，大部分常見以花粉或花蜜為食的蜂，牠們身上、腳上，甚至是腹部上都毛茸茸的；而另一群肉食性的蜂則大多體表光滑沒有毛，僅有一些棘刺在體表。當然，這只是一種粗略的辨識，並非絕對，但足以提供大家在野外看見蜂時，有個初步食性辨識特徵。

蜂類的食性

這邊提到有些種類的蜂以花粉、花蜜為食，有些種類則會捕食其他節肢動物——指的其實是蜂寶寶的食性，實際上蜂類的成蟲都是吃花粉、花蜜的植食者，即便是凶猛的虎頭蜂也是會訪花的。

　　一般對於蜂類不熟悉的民眾，在日常談話中會以「蜜蜂」泛稱所有蜂類，或是認為體型大的蜜蜂就是虎頭蜂，然而在台灣 2,000 多種蜂類當中，真正能稱為蜜蜂（honey bee）的只有蜜蜂屬（*Apis*）中的兩種，一是日據時代引進的**西方蜂**（*Apis mellifera*），也是市面上最常見的蜂蜜生產者；二是台灣原生種的**東方蜂**（*Apis cerana*）。至於其他種類在形態與生活習性上，都與蜜蜂有很大的差異。

觀察看看，蜜蜂與虎頭蜂，外型特徵上有哪些差異？
虎頭蜂體表用肉眼幾乎看不出有毛，屬肉食性；植食性的蜂類
則無論是胸部、腹部或是腳上皆覆滿絨毛。

首先要談的是，前述蜜蜂、虎頭蜂、長腳蜂、熊蜂等，牠們被歸類為**社會性昆蟲**。所謂社會性昆蟲，並非單指「一堆蟲住在一起」；確切地說，牠們是**真社會性昆蟲**且滿足三項條件：

擁有生殖分工，巢裡有分為可以繁殖後代的生殖個體以及不具繁殖能力的勞工階級。以蜜蜂為例，蜂巢裡只有女王蜂可以產出有生殖力的後代，其他工蜂則負責整理巢室、育幼或訪花的工作。

世代重疊，也就是同時可在蜂巢裡看到幼蟲跟成蟲共同生活。

共同育幼，雖然工蜂沒辦法繁衍後代，但牠們會共同哺育巢中的幼蟲。

有趣的是，全世界蜂類之中，大約只有 15％的種類屬於社會性的蜂，其餘 80％以上的種類是獨自生活的蜂，因為這樣的特殊習性，科學家把這群蜂稱為**獨居蜂**。

社會性蜂類的比例

　　我們通常說獨居蜂占全蜂類 80％至 90％，這個數據其實涵蓋更複雜的知識層面。前文提到有些種類的蜂幼蟲是吃花粉的，有些種類是吃肉的，在英文中吃花粉的被稱為 bee，吃肉的被稱為 wasp，兩者是互不包含的群體。然而中文的「蜂」同時包含 bee 和 wasp，wasp 通常譯成胡蜂，而 bee 指的是胡蜂之外的蜂類，實際上並無對應翻譯。因此在中文裡，胡「蜂」僅指涉一部分的蜂類，中文表述的「獨居蜂」應該包含 solitary bee 和 solitary wasp*。solitary bee 確實占了 bee 的 80 至 90％，但在 wasp 中，除了社會性（social wasp）和獨居性（solitary wasp）外，還有大量的種類是屬於寄生性的胡蜂（parasitoid wasp）；科學上通常不會將寄生性的種類算在獨居性的種類中，又因為 wasp 的種類比 bee 多出了不少，所以實際上獨居蜂（solitary bee & wasp）並沒有占到那麼高的比例。考慮一般民眾不一定了解這項細節，在此筆者團隊傳遞一個基本概念：「大部分的蜂類實際上不是社會性蜂類」，我們可以概稱獨居蜂占全蜂類 80％至 90％。

*除非特別提及，本書其他段落所稱的蜂類都包含 bee 與 wasp。

 什麼是「真社會性」？
動物的社會性有不同程度，真社會性是生物學家訂為「最高級別」的社會性。許多動物都具有社會性之群聚行為，但無法同時滿足前述三項條件則不具真社會性。

Q 全部的蜂都住在「大宅院」嗎？

　　蜜蜂、虎頭蜂等社會性的蜂類，是整個大家族、成千上萬個體聚居昆蟲，也是野外**巨型蜂巢**（大宅院形式）的屋主。

　　在台灣社會性蜂類所築的巢，最常見的是虎頭蜂巢和長腳蜂巢，前者通常垂掛在樹枝或是屋簷上，利用樹皮或植物纖維加上工蜂唾液建構出巨大橢圓球，橢圓球內部有如塔狀分層結構，而外部結構通常有明顯的紋理，出口處常會有守衛看守。長腳蜂巢是開放式蜂巢，大多數外觀長得像蓮蓬頭，可直接看到巢中六角形結構，所有的家人都站在上頭。東方蜂蜂巢大多會利用樹洞、水溝、石縫作為遮蔽巢體，通常只有一個出入口，無法直接觀察內部構造，裡頭則是用蜂蠟築出數個大塊片狀的橢圓巢片，巢片垂直水平面。

　　另外還有一群社會性蜂類，熊蜂，蜂巢常隱於地底或樹洞之中，巢室形狀也比較特殊，是圓形堡壘的樣式。

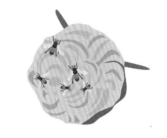

虎頭蜂巢
- 巨大橢圓球狀
- 垂掛樹枝或是屋簷
- 內部有如塔狀分層結構
- 外部結構有明顯的紋理

長腳蜂巢
- 蜂室開口呈六角形，組成蓮蓬頭狀
- 開放式，無罩殼
- 可見蜂群站立其上

蜜蜂巢
- 利用樹洞、水溝、石縫為遮蔽巢體
- 內部用蜂蠟築出片狀的巢片
- 可產蜂蜜

Q 有不住在大宅院裡的蜂嗎？

　　就是**獨居蜂**。獨居蜂在交配完成後，會開始獨自尋找適合築巢的位置，選定後才開始採集食物、收集築巢隔間的材料，準備繁殖下一代。獨居蜂不需要很大的空間來繁殖後代，牠們喜歡的築巢空間多是有孔洞的斷木、竹管；或是鑽入沙土地底，築巢的行徑與社會性的蜂類完全不同。比起蜜蜂，獨居蜂更可能是原本就與我們共同生活在城市裡的小昆蟲。

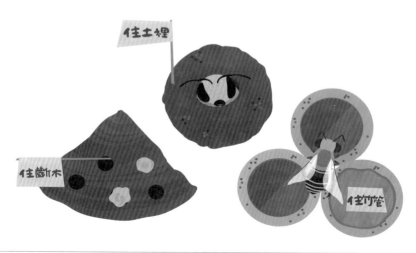

除了築巢方式，社會性蜂與獨居蜂還有哪些不同？

　　社會性的蜂類多半有比較強的領域性；當你離牠家太近的時候，蜜蜂跟虎頭蜂巢門口的守衛蜂為了保護集中的上萬位親戚，很有可能會飛出來繞行在你的身邊警告你。至於獨居蜂，牠們只有媽媽一個人獨自完成築巢跟採集食物的工作，因此大多數的獨居蜂遇到天敵時，會選擇逃走，鮮少出現攻擊行為。

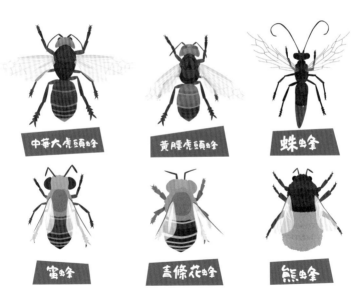

台灣常見的蜂類

3
獨居蜂旅館
實務技巧與知識。

你想給城市裡的獨居蜂一個家嗎？
放置獨居蜂旅館不失為一個友善空間。

哪些是好的獨居蜂旅館？
哪些是恐怖旅社？
箇中奧妙都取決於材質、
設計、擺放位置及環境，
這些都是在購置旅館之前，
你必須知道的事。

Q 獨居蜂旅館的設計理念為何？

目前城市裡的獨居蜂媽媽，一般會將寶寶產在斷木或竹管的孔洞裡，細心準備育嬰食品擺進房間，最後把房門關上就會離開。寶寶從卵孵化出生，便取食媽媽準備好的食物獨自長大成蜂。但這些獨居蜂寶寶所居住的斷木或竹管，通常是人類認定的自然廢棄物（像是颱風天過後、公園修枝所遺留的斷木枝條），很快就會被人們清除，導致這群小生物在城市的繁殖空間逐漸減少。

注意到這個問題，許多科學家開始設計獨居蜂旅館，這些擁有迷你孔洞人造空間，其概念並非提供給龐大家庭的社會性蜂類居住，而是針對獨居蜂繁殖下一代所設計的**育嬰室**，藉此增加獨居蜂媽媽在城市裡的繁殖地。如果我們能夠在自家陽台或是頂樓小花園中擺放一座蜂旅館，相信能夠慢慢地增加城市裡的獨居蜂，把蜂帶回我們身邊，讓城市綠意逐漸復甦。

 關於蜂旅館的材質
常見的獨居蜂旅館多以竹子或木材作為主要結
構，一些特殊版本則是採用水泥或是陶瓷燒
製。偶爾會看到完全以塑膠為材料的旅館，那
是非常不理想的旅館材質（因無法克服物候條
件等因素，導致蜂寶寶的居住品質低落），很
容易害死旅館中的寶寶，盡量減少選用。

獨居蜂旅館有哪些設計要點？

　　目前市售的獨居蜂旅館，大致有三大類：木旅館、竹旅館、水泥旅館，這幾款旅館都能有效吸引不同種類（見頁 56）的獨居蜂媽媽前來。

　　總體而言，蜂旅館的設計首重透氣性跟溼度調節的功能要夠好，才不會對蜂寶寶的生活造成威脅。此外，旅館房間孔洞的尺寸，空間大小也是非常重要的。台灣常見的獨居蜂多半喜歡居住在直徑 0.5 至 1 公分以內的孔洞；房間深度也會影響獨居蜂生活品質，建議深度不要低於 10 公分，如果使用太大或太小的房間，可能就會降低獨居蜂媽媽使用意願。

　　而最重要的一點，獨居蜂旅館房間通道**只能有一個開口**，不能是兩端都是開口的狀態，否則很容易造成天敵入侵。維持單一出口能確保蜂寶寶不會受到外敵攻擊。

▲獨居蜂旅館設計概念圖。

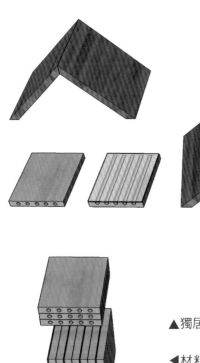

◀材料由上至下，依序為頂層
　遮蔽物、板片孔洞結構、板
　片模組。

Q 放置獨居蜂旅館必須留意的事情？

　　千萬不要擺在**太過潮溼的環境**，除了容易縮短旅館壽命外，也可能造成房間發黴長菌，害寶寶病死在房內（見頁 40）。同時務必注意旅館的擺放高度，最好能夠離地 30 至 50 公分以上，讓旅館離開潮溼的土地，亦可避免一些土棲生物一個不小心就住進旅館，干擾獨居蜂媽媽築巢。蜂旅館最適合擺放的位置，通常是陽台、窗台；也可將旅館吊掛在有遮蔭的屋簷下。如果想擺在花園或是菜園這類開放式空間，建議一定要有足夠大的屋簷，才不至於讓育嬰房直接日晒雨淋，獨居蜂寶寶會受不了的。

　　設置方式也必須多加留意，若將旅館鬆散地綁在樹上，或僅用一根繩子吊著而不是緊緊固定，都無助於獨居蜂入住或育嬰：在風中晃動的旅館不利於獨居蜂媽媽降落，牠將耗費更多能量在飛行上；要是遇上颱風等因素產生更劇烈的晃動，脆弱的蜂寶寶有可能會從牠的食物上掉落，最後因飢餓而死。

 關於蜂旅館的地點
若將蜂旅館擺放於開放空間，可以選擇背後有
大型遮蔽物或喬木，前方為開闊地之處。住家
環境中，陽台或窗台也同樣符合這樣的設定。

Q 若想自地自建獨居蜂旅館，該注意哪些事情？

　　購置第一棟獨居蜂旅館後，你可能會想要自己建造一棟手作感十足的蜂之屋，但下述重點請一定要特別注意。

　　獨居蜂旅館最普遍的問題是，當牠們沒有得到妥善管理時，就可能成為害蟲、黴菌、真菌和各式疾病的滋生地。對於放置在潮溼環境，或者由不易乾燥的材料如竹子等構成的獨居蜂旅館來說，**花粉蟎**是威脅居住品質最大凶手。如果沒有辦法讓溼氣從旅館房間中消散，那麼蟎就會接管整個巢。當牠們孵化時，這些蟎會吃掉獨居蜂媽媽留給寶寶食用的花粉。然後，花粉蟎還會鎖定獨居蜂，搭便車到最近的花藉此繁衍下一代。

　　如果使用竹子做為蜂旅館的房間材料，必須要定期更新旅館的竹管，而且要先處理至乾燥才行。最簡單的處理方式可以撿拾或砍斷新鮮竹管，記得要保留竹節作為旅館後門，否則會降低獨居蜂媽媽使用的意願。取回竹管後先以 75％酒精擦拭外殼做初步整理，將表面的附著物清除。

　　接著將竹管中的竹膜用筷子或長夾戳出清空，減少未來獨居蜂媽媽使用時的病菌附著。最後可以選用烤箱將竹管低溫烘乾，或是置於太陽下曝晒至乾燥即可使用。

　　若是收集斷木製作旅館，在選擇上請避開有做防腐處理或是忌避味道的木材（如樟木），這些材料獨居蜂媽媽都不太喜歡。建議可以選用杉木、松木作為旅館的材料。

 與蟎共生
除了花粉蟎外，還有許多會直接吸食蜂寶寶體液的寄生性蟎類，在大部分情況下這些寄生蟎都是對蜂類有害的。然而日本學者的研究顯示，有特定種類的獨居蜂與其寄生蟎存在互利共生關係。寄生蟎雖然吸食蜂寶寶的體液，卻同時會避免其他寄生蜂類寄生蜂寶寶，因此一定數量內的寄生蟎反而可以增加這種獨居蜂的存活率。

發黴的竹旅館
與裡頭的死蜂
寶寶。

Q 只要把獨居蜂旅館放在室外，獨居蜂就會自己來住？

　　當蜂旅館掌握前述概念正確設置、周邊環境符合台灣獨居蜂的生活條件，牠們自然就會來作客！

　　若周遭環境不理想，也不需太擔心，旅館的概念是增加獨居蜂在城市裡的育嬰空間，只要耐心等待，都有機會等到蜂媽媽來訪。大部分種類的獨居蜂活動範圍並不大，**覓食距離約 500 公尺**，基本上入住旅館的，都是住在你家周圍的獨居蜂。

獨居峰與生物指標

獨居性蜂類由於其在食物鏈中扮演角色的重要性與對環境變化的敏感度，具有成為環境指標生物的潛力。

擺放獨居蜂旅館後，500 公尺內的
獨居蜂媽媽都很有機會找到旅館。

獨居蜂旅館裡會有很多蜂嗎？
會不會一直飛來飛去很恐怖？

　　不會的！獨居蜂旅館的設計主要是給獨居蜂媽媽生小孩用的育嬰房，媽媽築巢完後就會離開，旅館只會留下寶寶們獨自長大（見頁 60）。一般來說是不會看到群蜂飛舞的誇張景象。

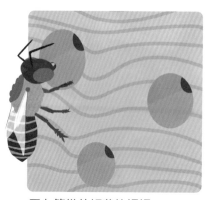

正在築巢的切葉蜂媽媽。
牠們在築巢過程中非常忙碌，
完全沒有時間理人。

Q 放了獨居蜂旅館，
會不會招引蜜蜂成群來住？

　　獨居蜂旅館的設計只針對空間需求極小的獨居蜂媽媽，完全不可能吸引社會性的蜂類來住，因此不會產生虎頭蜂或蜜蜂搬進來旅館居住的問題，牠們也完全塞不進去這個小窩呢！

　　相較於近幾年流行的城市養蜂，獨居蜂旅館所做的是增加獨居蜂媽媽在城市裡產卵的空間，而不是刻意的引入外來的蜂類。

如果能夠在自家陽台或是頂樓小花園，擺放小小的蜂旅館，相信能夠慢慢地增加城市裡的獨居蜂，把蜂帶回我們身邊。

我還是很擔心……
而且聽說蜜蜂會叮人？

　　如果想了解蜜蜂、虎頭蜂這類社會性的蜂在城市裡是不是會主動攻擊人，這邊可以跟你說**不會的**，只要不去招惹牠們，蜜蜂通常是不會攻擊人的（蜜蜂表示：除非你是花，不然我可是很忙的）。

　　另外，獨居蜂因為生性害羞，逃跑都來不及了，幾乎不太可能會叮人或攻擊人，比起蜜蜂或虎頭蜂可說是來得溫馴許多，平常靜靜觀察獨居蜂訪花或是媽媽築巢，都不用擔心被攻擊喔！

　　截至目前為止，超過 1,000 棟的獨居蜂旅館擺放在全台各地民眾的陽台、花園或是學校裡，都沒有小朋友被獨居蜂叮到的記錄。

　　反而要提醒大家，獨居蜂媽媽在築巢的過程中，很怕被干擾，請在獨居蜂媽媽尚未完工關門之前，不要把臉靠旅館太近，以免嚇到媽媽再也不回來。

Q 獨居蜂旅館可以收蜂蜜嗎？

　　當、然、沒、有、喔。**蜂蜜是社會性的蜂──蜜蜂，採收花蜜後轉換而成的**。台灣能夠買得到的蜂蜜，只由兩種蜜蜂所生產。一種是日據時代引進的西方蜂，也是市面上最常見的蜂蜜生產者。另一種則是台灣原生種的東方蜂，牠會採一些特殊的台灣原生植物，像是森氏紅淡比、鴨腳木等。而像切葉蜂這類的獨居蜂成蟲訪花時雖然會取食花蜜，但並不會在巢中儲存，幼蟲多半以花粉為主食，所以擁有獨居蜂旅館也不會收到任何一丁點的蜂蜜喔！

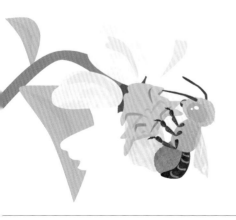

比起蜜蜂，
獨居蜂更可能是
原本就與我們
共同生活在城市裡的小昆蟲。

Q 獨居蜂旅館可以
提供房東什麼好處？

　　蜂旅館的設計可以幫助周邊的蜂媽媽，能更快速地找到合適的育嬰空間，但對於房東來說，除了能夠代表自己是該區域的善心人士外，似乎沒有任何現成的利益可言。

　　如果你決定入手蜂旅館，必須說明的是，憑著一股熱情而非理解的養蜂，並不能改善蜜蜂或是獨居蜂的生態。最根本的改變之道，當然還是改善城市環境，增加綠地的覆蓋率、增加正確的原生蜜源植物，如此一來，我們根本不需要養蜂，牠們就會自然而然地回到城市裡了。

何謂正確的原生蜜源植物？

　　不同的植物的花會吸引不同種類的授粉者，並不是所有蜜源植物都能當蜂類的食物，例如我們常吃的芒果實際上是由蒼蠅幫忙授粉。

　　不同種的蜂類也偏好不同的花，像是體型巨大的木蜂就鑽不進九層塔的小花裡。另外，還有一些植物花的構造比較特殊，花粉藏在內部，像是番茄或小黃瓜，特定種類的獨居蜂或熊蜂會利用震動花朵，使花粉震出直接灑落在蜂表面的毛上。

　　而上述植物雖然都能夠提供蜂類良好的食物來源，卻都不是台灣原生的蜜源植物。許多園藝作物因為色澤美、花期長，或是具有實用價值被商人由國外引入。

　　但若植物適應性強，又不慎外流落地生根，很有可能與台灣原生植物競爭僅有的棲地空間，甚至有可能排擠專食性（只以特定植物為食）的蜂類生存。大花咸豐草就是非常好的例子，目前已成為台灣全島泛濫的入侵植物之一。當我們想要為台灣的授粉者盡一份心力時，請盡量選擇台灣原生的開花植物，像是馬齒莧、山芙蓉或有骨消都是不錯的蜜源植物。

Q 獨居蜂旅館在授粉上表現如何？

　　首先，獨居蜂不產蜜，卻是授粉的主力。眾所皆知蜜蜂是可以幫助多種植物授粉的優秀廣泛性授粉者（general pollinators），不過仍舊無法適任於所有的作物種類，加上近年來蜜蜂族群數量下降，**獨居蜂的授粉表現**才開始被注意到。

　　獨居蜂在採集時表現的行為，是造成牠們與蜜蜂在面對不同作物時產生授粉差異的主因。許多種類的獨居蜂在訪花時，會利用振動授粉（buzz pollination）的方式，以高速振動飛行肌的同時以軀體碰觸雄蕊，使花藥釋出花粉。日常中我們所熟悉的獨居蜂如木蜂、青條花蜂、隧蜂、彩帶蜂和部分切葉蜂都具有振動授粉的行為，而這項能力是蜜蜂所欠缺的。

　　其實，以獨居蜂做為作物授粉的推手並不少見。甚至當某些作物無法仰賴蜜蜂授粉時，獨居蜂便成為主力授粉者。研究指出，北美地區由於春季梨、李開花時節正逢蜜蜂族群於全年中最衰弱之時，加上花期短暫、花數眾多，果園授粉者不足往往是農民的困境，此難題直到在果園中

設置獨居蜂旅館，吸引石巢蜂（*Osmia lignaria*）才解決。透過規劃旅館設置時間使成蜂活動期與花期重疊，使授粉效率達到最高，也可以讓農民調整施藥期程降低蜂所受到的影響。

　　再舉例來說，2004 年哥斯大黎加咖啡花造訪率中 59％來自原生蜂種，若莊園中蜂類的物種多樣性及族群豐度較高，則能提升咖啡的結果率。 2013 年一份統整的報告中指出，全球超過 40 種重要作物中，原生授粉者的存在能夠將作物產量提升至僅有蜜蜂時的 2 倍。

　　總體而言，獨居蜂和蜜蜂在授粉這項生態功能上不應該是互相取代，而是互補的關係。在追求擁有一座蜂箱成為城市蜂農以前或許可以思考，如果自己並不那麼執著於蜂蜜等副產品，而是想替環境盡一份心力，那麼成為獨居蜂旅館的房東也會是很好的選擇。

Q 獨居蜂旅館對城市農園的經營有幫助嗎？

　　對時下流行的**城市農園**而言，目前遇到的大問題通常是**授粉者不足**、**滿山滿谷的害蟲**吃掉那為數不多的葉菜。

　　身為一個城市小農，為了改善結果率，多數人只想著對植物發功，或是僅執著於養蜜蜂，甚至大多數人不了解冒然引入蜜蜂不見得能改善城市環境，反而可能造成蜜蜂因食物缺乏而死亡。反觀城市中原本就居住著種類繁多的獨居蜂，若設置蜂旅館吸引獨居蜂來訪，正好可以協助陽台上的小果園授粉。

什麼是結果率？

許多植物開花後，除了環境跟養分的影響外，還需要仰賴生物或是其他方式的授粉，才能產出果實。授粉率則是在農業裡記錄植物開花的花朵數量與最後成功結果的比例。藉此可以了解果園中的授粉情形抑或是天災所造成的損傷。

Q 城市小農加碼問：
如何看待害蟲問題？

　　狩獵性的獨居蜂乍看之下與農業及經濟活動沒有直接關聯，其實牠們在生態系中扮演的角色與**田間生物相平衡**息息相關。蜾蠃（見頁 57）是獨居蜂旅館的常客，也是**獵捕效率極高的獵手**。當獨居蜂旅館蜾蠃入住，代表牠將幫你吃掉周邊一定數量的小蟲子。只要在城市菜園周圍提供足夠的庇護棲地，就有機會讓生活在周遭的獨居蜂發揮授粉以及生物防治功能。

　　具體報告指出，1994 年在紐西蘭的田間試驗中，放置一座 64 孔的獨居蜂旅館在廢棄的杏樹果園，僅僅 18 天內就有 3,287 隻鱗翅目幼蟲被蜾蠃捕捉並放入旅館；另一處李樹下放置同樣的旅館，則在 18 天內收集到 3,024 隻鱗翅目幼蟲。根據林試所在台灣南部田間樣區設置獨居蜂旅館的 2012 至 2013 年度調查也發現，誘引到前來築巢的獨居蜂中狩獵習性比例占 87.4%，以分類群而言蜾蠃占 61.4%，其主要獵物為螟蛾等蛾類幼蟲。

4
觀察。

身為 Air BEE n Bee 的房東，
你可能很想知道旅館裡的房客到底是誰。
但是獨居蜂媽媽生完寶寶後，
就會將旅館房間關上大門，
在不打開旅館的情況之下，
要怎麼知道裡面的房客是誰呢？

Q 目前台灣有哪些獨居蜂？

　　旅館常見的種類中大致可分為兩大類，分別是取食小型昆蟲或無脊椎動物的**肉食性種類**，像是蜾蠃、細腰蜂；另一群是**以花粉為主食**的獨居蜂，如切葉蜂。切葉蜂不會產蜜，卻有著非常好的花粉採集能力，肚子腹面有明顯毛茸茸的構造，是牠攜附花粉的招牌特色，非常好辨識。

抓著毛毛蟲準備回
巢的蜾蠃媽媽。

切葉蜂媽媽肚子上沾
滿花粉的毛狀構造。

誰是蜾蠃？

　　蜾蠃（ㄍㄨㄛˇ ㄌㄨㄛˇ）一詞在經典古籍中早有記載。《詩經·小雅·小宛》提到「螟蛉有子，蜾蠃負之，教誨爾子，式穀似之。」詩人觀察到蜾蠃抱走螟蛉（蝴蝶或蛾）的幼蟲，誤以為蜾蠃教養螟蛉小孩，因此螟蛉小孩長大後像蜾蠃。我們現在知道，螟蛉的幼蟲其實是被蜾蠃的幼蟲當成食物吃掉了，但《詩經》的誤解流傳千年後才被南朝人陶景弘質疑，並經由實際觀察指出錯誤，後代讀書人也重複驗證，究竟是《詩經》還是陶景弘的描述才是對的呢。

 《詩經·小雅·小宛》原文
宛彼鳴鳩，翰飛戾天。我心憂傷，念昔先人。
明發不寐，有懷二人。
人之齊聖，飲酒溫克。彼昏不知，壹醉日富。
各敬爾儀，天命不又。
中原有菽，庶民采之。螟蛉有子，蜾蠃負之。
教誨爾子，式穀似之。
題彼脊令，載飛載鳴。我日斯邁，而月斯征。
夙興夜寐，無忝爾所生。
交交桑扈，率場啄粟。哀我填寡，宜岸宜獄。
握粟出卜，自何能穀。
溫溫恭人，如集于木。惴惴小心，如臨于谷。
戰戰兢兢，如履薄冰。

蜂媽媽為了養育寶寶，做了哪些準備？

　　不論是吃肉或是吃花粉長大的獨居蜂寶寶，從選旅館、布置房間（收集築巢的材料）到食材的準備，全都靠女強人獨居蜂媽媽獨自完成。

　　首先，蜂媽媽評估旅館的房間、位置是否適合寶寶生活後，會開始築巢。選定旅館通道後，肉食性蜂會在周邊環境裡尋找一些毛毛蟲、蚤蜻或是蜘蛛作為寶寶的食物，媽媽會先將獵物麻醉，讓毛毛蟲維持在還會呼吸的昏迷狀態，然後帶回旅館房間，依照不同的獵物種類，一個房間中可能會有 2 到 10 隻不等的小獵物；獨居蜂媽媽利用這道麻醉手續讓蜂寶寶在孵化後仍有最新鮮的食物可以吃。接著，媽媽會在房間中生下一顆蛋，然後用土或是乾草關上房門，再開始準備下一個房間的食物以及房門，就這樣依序蓋到最外面。如果房客是像切葉蜂這類訪花的種類，蜂媽媽會在每間房裡放滿滿的花粉作為寶寶的大餐。

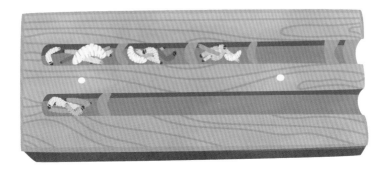

肉食性獨居蜂寶寶的房間與食物，
白色蟲體為蜂寶寶。

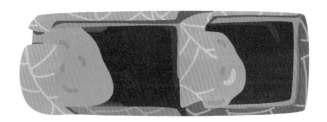

切葉蜂葉子巢中的花粉與寶寶。

不同的獨居蜂媽媽，
築巢模式也不同嗎？

　　當然，不同種類的獨居蜂，築巢的模式也有差異，你
可以透過房門的形式跟材質，推測房客的類型。

　　以土塊、乾草作為房門的，大多是肉食性的種類。肉
食性的獨居蜂（以螺贏最多）建構巢室的材料大多是泥
漿。蜂媽媽會先在水塘邊吸飽水，一旦找到質地合適的砂
土，便一面回吐水分浸潤砂土（或是直接採集水邊泥地的
溼潤泥土），一面以大顎加以塑形，最後做出一粒溼泥糰
子，再帶回旅館做房門。

　　而用樹葉或是樹脂做為房門的，常見的是以吃花粉的
切葉蜂。你也會發現旅館房間門口，可能被如麥芽糖一般
的樹脂填滿，或是精緻的圓形葉子切片——切葉蜂有一對
超級銳利的大顎，可以快速地切下適當大小的葉片，如果
旅館周邊的植物出現幾乎看不出鋸齒狀的圓形切痕，通常
是切葉蜂媽媽的傑作喔！

▲
不同種類的獨居蜂媽媽築巢所使用的材料也有明
顯差異。以圖為例，上為葉子門，採用鑲嵌的方
式將葉片交疊作為隔間；下為與土房門，以溼潤
的泥土加上蜂媽媽的唾液塗抹在洞口形成的土牆。

▶ 被切葉蜂媽媽切過的西印度
　櫻桃葉子，被切葉蜂切過的
　葉子都會呈現圓弧狀，沒有
　明顯的鋸齒切口。

Q 我們如何一窺房客生活？

　　如果你的獨居蜂旅館有附**透明的觀察板片**，在一般情況下，請務必**保持板片避光**，才不會讓蜂媽媽興趣缺缺。當獨居蜂媽媽來訪時，你也不要太過興奮，先讓蜂媽媽準備好食物，產下蜂寶寶後，等蜂媽媽把房門關上，才可以抽出來觀察裡頭正在上演的寶寶成長實況秀。便於觀察的通常是肉食性的獨居蜂，因為牠們的房間通常相對乾淨：透過觀察板片可以看見裡頭已經被麻痺的殭屍毛毛蟲，以及正在享用美食的獨居蜂寶寶。

　　至於吃花粉的獨居蜂，最常來旅館生寶寶的就是切葉蜂。切葉蜂的種類非常多，有些以切葉子來築巢，有些則是以樹脂或泥土作為巢室隔間的材料。如果觀察切葉子築巢的切葉蜂房間，你會發現切葉蜂媽媽用鑲嵌的方式把葉子一片片接起來，做成一顆像是包葉檳榔的小套房。這個風格的房間你會完全看不到房間內的動靜；而採用樹脂築巢的切葉蜂房間，媽媽只有將薄如麥芽糖的樹脂作為房門隔間，內部沒有被包覆，我們可以很清楚的觀察到套房裡

的畫面。在剛開始的時候，房內通常有半間塞滿微溼的花粉糊，寶寶孵化後就沉浸在美味的花粉池裡慢慢長大。而這類的切葉蜂在化蛹的階段有時會形成一片如同塑膠般的薄膜包覆在外層作為保護。

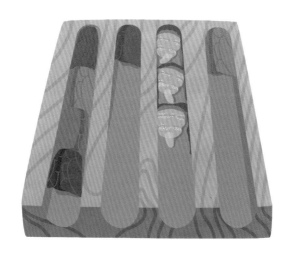

兩種不同切葉蜂寶寶的房間：
左邊數來第三個隧道，是以樹脂作巢室隔間的切葉蜂，
其他的是切葉子築巢的切葉蜂。

Q 一間旅館可以入住幾代客人？

　　台灣氣候溫暖，生活在城市裡的獨居蜂一年大致可產出二至三代，相當於一間旅館能夠重複收兩至三次的房客。獨居蜂媽媽多半會在春天到秋天之間來訪，開始築巢，約停留一至兩個月的住房時間。雖然房客租約以「短租」為主，偶而有「長租」客人──如果旅館設置在北部，且剛好在秋季收到最後一批的獨居蜂，就有可能觀察到長租的房客。加上北部冬天相對寒冷，有些獨居蜂寶寶吃完食物後會以蛹或幼蟲的形態在旅館裡面度冬，待明年春天溫暖天氣來臨才羽化成蜂，離巢開始新生活。

　　需要留意的是，在常下雨的台北地區，獨居蜂媽媽還來不及完成整排房間就面臨雨季，牠必須等到雨停才能繼續築巢，就有可能影響到寶寶離巢的時間。這時候房裡尚未成蜂的寶寶，就很有可能被螞蟻聞到而被當成食物。

旅館的概念是增加獨居蜂
在城市裡的育嬰空間，
只要耐心等待，
都有機會等到蜂媽媽來訪。

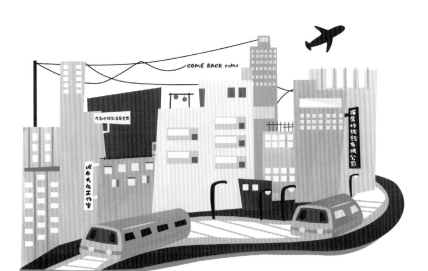

Q 關於房客的性別與排列方式？

　　旅館房間裡的住客是男是女呢？再說，旅館房間只有一個出口，但依照築巢順序最裡面的寶寶會最早破蛋，要怎麼出房間呢？這涉及了蜂媽媽精心安排的住房策略，可以從房間排列順序上看出其中奧妙。首先，蜂媽媽是相當龜毛的室內設計師，空間規劃及丈量全靠自己在裡面走來走去，實際當作使用者去體驗後，才決定房間的大小。

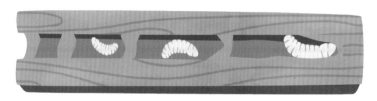

由左至右分別是外側至內側，最內側是雌蜂寶寶。

　　在一開始安排房間時，蜂媽媽也已經決定好離開旅館的順序。想想，如果最裡面的寶寶先長大成蜂，牠有可能會咬開所有房門離巢，把弟弟、妹妹暴露在充滿天敵的危險中。研究指出，獨居蜂媽媽可以決定自己產下後代的性別，所以牠將具有繁殖後代能力的雌蟲生在最裡頭，最後才產下雄蟲。越靠近裡面的房間會特別大間，存放較多的食物，讓雌性寶寶補足養分；靠外側的雄蟲房間食物則明顯少了許多，也會讓雄蟲較早羽化離開房間。獨居蜂媽媽利用這樣精密的產卵策略，安排出門的順序。

 生男或生女？
獨居蜂媽媽控制產出性別的能力看似神奇，實際上是因為膜翅目昆蟲的性別決定系統，並不是像人類的 XY 性別決定系統。在膜翅目中有受精的卵就是雌性，無受精的卵就是雄性，所以蜂媽媽甚至不用交配就能生兒子。生物界還有許多神奇的性別決定系統，例如鱷魚的性別就是由卵孵化時的溫度決定的。

台 灣 最 美 蜂 景

 蜂與城市交織，
在城市中享受蜂的美好，
學會與自然共處。

澎湖海邊銀口蜂，
抱著抓來的蒼蠅在沙灘上挖洞。

銀口蜂科 Crabronidae

銀口蜂科在台灣包含多個屬，至少 200 個物種，種類繁多，習性不盡相同。左頁圖判斷為蓬萊沙蜂（*Bembix formosana*）。蓬萊沙蜂屬於 Bembicini 族，該族物種通常體色黑黃相間，在沙堆裡築巢，捕食蒼蠅做為幼蟲食物。

藍泥蜂 *Chalybion bengalense*　　細腰蜂科

體長 1.1 至 1.8 公分，體纖細，體色深藍至藍綠色帶有金屬光澤；複眼黑色；腳細長，灰黑色；胸背寬窄；翅膀狹長淡棕色；腹柄細長，彎曲幅度小，腹部呈圓錐狀。雌蜂常於空竹管或住家牆上的細縫築巢，也會利用其他蜂類的棄巢產卵，並獵捕蜘蛛作為巢室幼蟲的食物，泥巢表面會另塗一層白色物質，已有紀錄該白色物質取自鳥類與壁虎糞便。另有長相近似的同屬種類日本藍泥蜂，以及長背泥蜂科物種。

▲藍泥蜂在土牆上挖掘築巢用的泥土。

青條花蜂 *Amegilla calceifera*　蜜蜂科

體長約 1.2 公分；體圓胖，黑色，腹部四至五條青色環狀橫紋為其最大特徵；複眼碩大，呈黃綠色；頭、胸部密布黃褐色絨毛，寬厚多毛的後腳可攜附花粉，可以振動授粉方式為植物傳粉。飛行能力相當好，訪花時可以快速移動吸蜜。大顎特化成強而有力，能鎖住物體的鉗子，可緊緊咬住枝條。

青條花蜂又稱鞋斑無墊蜂，沒有集體築巢的習性，但黃昏時會一起尋覓枝條準備休息，所以夜觀時常能遇見聚在同一枝條上「成串」睡覺的情景。雌蜂會獨自挖築巢穴於地下或土洞中，同一個巢穴會包含多個小的巢室。另有長相相似種彩帶蜂。

訪花中身上沾滿花粉的隧蜂。

青條花蜂伸出口器
吸食九層塔的花蜜。

花蘆蜂停在葉子上休息。

花蘆蜂屬 *Ceratina*　蜜蜂科

體型小，體長大多在 1 公分左右，體色多為黑色或綠色具金屬光澤，體毛稀疏，多數物種臉部或身體會有黃色條紋，條紋的位置與形狀可作為分類的重要依據。觸角短小，多黑色；後腳毛較其他訪花性蜂類稀疏。常於斷掉的枯枝中築巢，幼蟲以花粉為食。大部分的物種為獨居蜂，但有些物種雌蜂會一起築巢，而且有分工的行為。

訪荷花的隧蜂。

隧蜂科 Halictidae

外型極似蜜蜂，但多數種類體形較蜜蜂小，且體態偏瘦長；多為黑色或褐色，三對足均密布絨毛，但體背少絨毛，彎曲的翅脈是辨認特徵之一。

隧蜂科底下有許多物種，是常見的訪花性蜂類，行動敏捷，大部分種類會在地底下挖掘具有多個分支的通道，並建立多個巢室，幼蟲以花粉為食，多數為獨居蜂，少數種類具有不同程度的社會性。

交配中的黃胸錐腹螺贏（黃胸泥壺蜂），可以看出雌（右）雄（左）的體型與花色不同。

黃胸錐腹蜾蠃 *Delta pyriforme*　胡蜂科

體細長且顏色鮮明，具有細長的腹柄及圓錐狀錐腹，身體僅少部分有細毛，頭部、前胸背板與腹末端皆為鮮黃色；雌蜂以口部啣泥球，帶往牆面或林間築壺狀泥巢，捕捉夜蛾科、尺蛾科的幼蟲放入巢穴，供孵化的幼蟲食用。主要分布平地及低海拔山區。別名黃錐華麗蜾蠃、黃胸泥壺蜂。另有外觀相似物種黃領錐腹蜾蠃，可由中胸前緣顏色判別。

虎斑細腰蜾蠃 *Phimenes flavopictus*　胡蜂科

體黑色，黃色斑紋散布臉部唇基、複眼凹窩內緣、觸角間，身體僅少部分有細毛，貌似虎身黃黑相間而得名，又稱虎蜾蠃、弓費蜾蠃、虎斑泥壺蜂。腹柄細長，錘腹呈圓錐狀。雌蜂會在樹幹、岩壁、牆面凹處啣泥築巢，泥巢內含數個巢室。後代幼蟲屬肉食性，雌蜂會獵捕蛾類幼蟲放入泥巢供食。廣泛分布平地至低海拔山區。另有外觀相似物種四刺飾蜾蠃，可由身體各處，特別是胸背板的斑紋區分。

虎斑細腰蜾蠃正忙著建造泥壺般的巢。（黃千育攝）

▲傍晚時青條花蜂會聚集睡覺。

彩帶蜂屬 *Nomia*　隧蜂科

腹部具三至四條水青色金屬光澤條紋，會隨光線角度變化呈藍至
綠等顏色，十分美麗。外觀近似蜜蜂科的青條花蜂，但通常體型
較小，體態瘦長，腹部環紋較窄；複眼全黑，前胸背板黑色，不
具褐色絨毛；性敏捷且行動快速，停留花上吸蜜時間甚短。彩帶
蜂在訪花時會收縮胸部肌肉產生低頻率振動，將花粉從花藥孔中
震出，沾滿全身並被攜附至下一朵花，這種方式稱為振動授粉。

彩帶蜂震動身體讓花
粉內的花粉散出。

準備將蜘蛛帶回巢的蛛蜂，可以看見蜘蛛的腳都被切斷了。

蛛蜂科 Pompilidae

主要以蜘蛛為食，故得名；全世界廣泛分布，幾乎所有種類皆獨居，種類繁多，行為複雜。

體態瘦長，腳細長，翅膀長具金屬光澤；性機敏，成蟲仍訪花為食，但雌蜂會在地面遊走，搜索蜘蛛以作幼蟲食物；尾部具螫針，可注射毒液麻痺蜘蛛。有些種類在捕獲獵物後，會以大顎將蜘蛛的足切斷，再攜回巢內（如圖）。使用前腳掘出巢穴，但也有些種類不造巢，而是直接入侵穴居性蜘蛛的巢穴產卵，幼蟲即於蜘蛛身上發育成長。

青蜂會將卵產在其他獨居蜂的巢內，青蜂幼蟲孵化後會將巢內的食物連同其他獨居蜂的卵或幼蟲一起吃掉。（黃千育攝）

青蜂科 Chrysididae

體綠色具金屬光澤，身體僅少部分有毛覆蓋，複眼黑色，乍看之下形似麗蠅，細看可觀察到體表密布微小凹刻。部分種類腹部腹面扁平或凹陷，受到威脅時能將頭摺疊至腹部凹陷中。行偷竊寄生，不同於一般寄生蜂將卵產在宿主身上，雌蜂把卵產在其他獨居蜂正在建造的巢中，通常為細腰蜂或泥壺蜂，幼蟲孵化後直接取食巢中準備好的食物。

切葉蜂訪花時將腹部抬
起，推測是防禦行為。

切葉蜂科 Megachilidae

外型酷似蜜蜂，頭、胸部多半為黑色，腹部多具黃色環狀條紋；腳無花粉籃構造，但可藉腹面梳子狀的絨毛攜粉。

會以其他昆蟲的廢棄空巢為家，或是在枯木或山壁上挖洞築巢，雌蜂會在巢室中儲存花粉與花蜜，作為幼蟲食糧。成蟲會用大顎切下植物葉片作為巢室材料，因此得名。被切葉蜂切過的葉面缺口呈完整圓弧，和一般毛毛蟲咬傷的鋸齒缺口不同。

廣泛分布於低海拔平地或山區，台灣已知有 7 屬至少 41 種，種類繁多行為也不盡相同，例如有以樹脂築巢的種類與寄生型的種類。

切葉蜂腹部的毛是牠主要攜帶花粉的構造。（黃千育攝）

▲ 一隻抱著葉子正要進入旅館築巢的切葉蜂；
　右圖是旅館內切葉蜂築巢到一半的樣子。

銅翼絨木蜂 *Xylocopa tranquebarorum*　蜜蜂科

屬中大型蜂類，體長約 2.5 至 3.3 公分，體型壯碩；體黑色，體表布滿絨毛，
腹部毛相對較少，翅膀具金屬光澤，雌蟲臉全黑，雄蟲臉部有白斑。
廣泛分布於低海拔森林。雄蜂領域性強，雌蜂會在枯樹幹或竹子上挖洞產
卵，以大顎咬出直徑約 1 公分的小孔，以其中空室為巢，並貯藏花粉供幼蟲
食用。有群聚築巢的行為，人造木建築也時常被木蜂築巢其中。台灣還有另
外三種絨木蜂屬物種。

右側的木蜂正要回到他在竹子中的巢，竹子上的洞是木蜂自行咬開的。

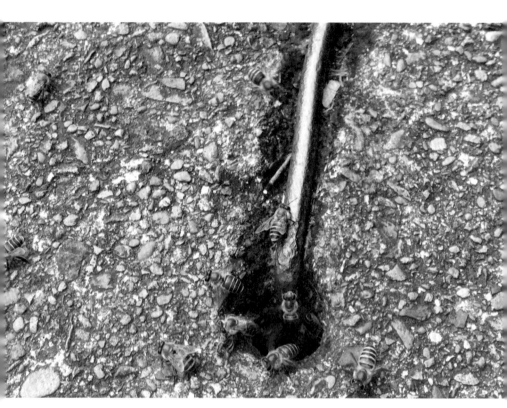

▲東方蜂常以樹洞或是排水溝作為築巢的地方。

東方蜂 *Apis cerana*　蜜蜂科

體長 1.2 至 1.4 公分，通常較西方蜂小，但體型會隨著地理位置及環境而有明顯變異；工蜂胸部黑色帶有黃色絨毛，腹部黑黃相間，條紋分界明顯；蜂王、雄蜂腹部幾乎全為黑色。體表布滿細微絨毛，後腳有花粉籃凹陷及花粉梳等構造。

真社會性蜂類，為台灣原生種蜜蜂，常稱中國蜂或中華蜂，廣泛分布於低、中海拔地區，在野外相當常見，族群數量穩定；耐寒力強，能於攝氏 10 度的環境下外出訪花；喜歡築巢於涼爽的石穴或樹洞中，有時也利用人為建築的縫隙。

▲ 住在樹洞內的東方蜂；
　右圖是東方蜂在巢口互相餵食。

▲西方蜂的近照，可以看到
　頭部、胸部、腹部與六足
　都佈滿細毛。(周俊廷攝)

◀一般蜂農養的都是外來的
　西方蜂。

西方蜂 *Apis mellifera* 蜜蜂科

體長 1.3 至 1.5 公分，通常較東方蜂大，但體型會隨著地理位置及環境而有明顯變異；胸部黑色覆蓋黃色絨毛，腹部黑黃相間但間隔不一，條紋分界較不明顯；體表布滿細微絨毛，後腳有花粉籃凹陷及花粉梳等構造。

真社會性蜂類，並非台灣原生種，是由日本人引進，多為人類所飼養，容易管理，採集力強，能妥善利用大宗蜜源；族群數量大，所需食物量也大；怕冷而不怕熱，環境溫度需達攝氏 14 度以上尚能出巢工作。

▲ 採薰衣草花的西方蜂。

熊蜂訪花。

熊蜂屬 *Bombus*　蜜蜂科

除了少數種類外，熊蜂與蜜蜂同為真社會性昆蟲，但一巢最多也只有數十隻工蜂。大部分熊蜂為體型中至大型蜂類，身體圓胖，全身佈滿濃密的絨毛，多為黑或橘黃色。台灣已知有九種熊蜂屬的物種，其中不少長相相似的物種，因為熊蜂適合比較寒冷的環境，因此在台灣平地並不常見。

◀ 訪花中的食蚜蠅，雖然不屬於
蜂類，但也是重要的授粉者。

有些昆蟲常被誤認為蜂類，黃黑相間的條紋並非蜜蜂的專利，其他許多昆蟲
也會有類似的花紋，例如這兩張圖中的食蚜蠅。簡易的辨認方式包含蠅類只
有一對翅，蜂類則有兩對翅；通常蠅類觸角短小，蜂類則有較長的膝狀觸
角。兩者的飛行模式一般也不同。不過這些特徵在野外環境有時判斷不易，
即便是有經驗的人也有看錯的可能（下圖攝於西班牙）。

▲ 旅館內蜾蠃的巢，最內的隔間可以看到獨居蜂幼蟲 (左) 與他的食物 (右)。

▲ 啣著泥土在螺絲孔中建巢的蜾蠃（攝於宏都拉斯）；
　右圖是準備要羽化的青蜂。

▲旅館內已經化蛹的蜾蠃,快要羽化前體色才會顯現。

◀將切葉蜂巢小心剝開,觀察被包在裡面的蛹。

◀即將化蛹的蜾蠃幼蟲。

巨大獨居蜂旅館 Villa One

城市方舟工作室的「超巨型」教學用獨居蜂旅館，於 2019 年初正式落成，現坐落於屏東雙流國家森林遊樂區。它能夠依照使用單位需求，決定釋出多少房間給獨居蜂媽媽生寶寶，最多可以放入 500 片板片；其他暫時不需要的空間還能夠關上閘門停止訂房。

整棟旅館以國產木材製作，徹底展現了 Made in Taiwan 的台灣魂。溫潤精神來自 8F Design Studio 的設計；細緻的鑲嵌則出自威德森木藝坊 WideSun Woodshop 的工藝。不妨前往雙流國家森林遊樂區，親身感受超巨大蜂旅館的氣勢。

欲知更多資訊，請上城市方舟工作室臉書：

COME BACK to ME x 城市養蜂是 Bee 要的

facebook. com/comebacktobee

台灣賞蜂地圖

自 2016 年起，城市方舟工作室藉由獨居蜂教育版旅館的設置，讓獨居蜂的觀念在各地學校落地生根，這也是台灣第一個以獨居蜂為主的公民科學計畫。希望利用專業的科學背景引導小朋友、老師以及家長們重新認識蜂類，並了解如何與這些訪花昆蟲一起生活在城市裡。

※ 教育版獨居蜂旅館是經過嚴謹的昆蟲行為研究測試後所設計的，並非隨意架設。

※ 為防止獨居蜂旅館的概念被任意曲解而導致錯誤觀念的濫用，所有的合作單位都會經過城市方舟工作室認證才能具有架設旅館的合作約定，同時也會提供該單位正確的監測方式以及紀錄模組作為教學之用。

※ 通過城市方舟工作室的多項評估後，即代表該單位已擁有蜂類友善環境認證，城市方舟將提供 BeeFriendly Certification 標章（右圖）作為鼓勵。

BeeFriendly
Certification

目前與我們一起成為台灣獨居蜂計畫夥伴的單位有：

台北市指南國小	南投縣五城國小	屏東縣同安國小
台北市溪山國小	嘉義市嘉義高工	花蓮縣大榮國小
台北市金華國中	雲林縣東仁國中	花蓮縣中正國小
台北市建國中學	台南市台南二中	澎湖縣龍門國小
台北市西門國小	台南市海東國小	國立自然科學博物館
新北市八里國中	台東縣康樂國小	台中區農業改良場
新北市德音國小	高雄市高雄中學	花蓮縣農業改良場
新北市新泰國小	高雄市七賢國小	梅居休閒農場
新北市中港國小	高雄市新光國小	狸和禾小穀倉
桃園市青埔國小	屏東縣四林國小	永康茶書院—回留茶館
新竹市光復中學	屏東縣南州國小	台北市劍潭里
台中市信義國小	屏東縣潮南國小	屏東雙流國家森林遊樂區
南投縣埔里國中	屏東縣潮東國小	台江國家公園

想跟著這些旅館的蹤跡，一起探訪全台各地的獨居蜂嗎？
現在就掃描「賞蜂地圖網頁連結」QR Code 來看看吧！

參 考 資 料

Batra SWT. 1984. Solitary bees. Sci Am. 250(2): 120-127.

Batra SWT. 1995. Bees and pollination in our changing environment. Apidologie. 26: 361-370.

Buchmann SL. 1985. Bees use vibration to aid pollen collection from non-poricidal flowers. J Kansas Entomol Soc. 58(3): 517-525.

Cane JH. 2008. A native ground nesting bee (*Nomia melanderi*) sustainably managed to pollinate alfalfa across an intensively agricultural landscape. Apidologie. 39(3): 315-323.

Corbet SA, Willmer PG. 1980. Pollinations of the yellow passionfruit: nectar, pollen and carpenter bees. J Agric Sci. 95(3): 655-666.

Ferrier PM, Rucker RR, Thurman WN, Burgett M. 2018. Economic Effects and Responses to Changes in Honey Bee Health. ERR-246, U.S. Department of Agriculture, Economic Research Service.

Garibaldi LA, Steffan-Dewenter I, Winfree R, Aizen MA, Bommarco R, Cunningham SA, ⋯ Klein AM. 2013. Wild pollinators enhance fruit set of crops regardless of honeybee abundance. Science. 339(6127): 1608-1611.

Harris AC. 1994. *Ancistrocerus gazelle* (Hymenoptera: Vespoidea: Eumenidae): a potentially useful biological control agent for leafrollers *Planotortrix octo*, *P. excessana*, and *Epiphyas postvittana* (Lepidoptera: Tortricidae) in New Zealand. N Z J Crop Hortic Sci. 22(3): 235-238.

Kumar J S, Rex B, Irulandi S, Prabhu S. 2019. A Review on Diversity, Bio-Ecology,

Floral Resources and Behavior of Blue Banded Bees. International Journal of Current Microbiology and Applied Sciences. 8. 580-587.

Mei M, Pezzi G, Togni R, Devincenzo U. 2012. The oriental mud-dauber wasp *Chalybion bengalense* (Dahlbom) introduced in Italy (Hymenoptera, Sphecidae). Ampulex. 37.

Michener CD. 2007. The Bees of the world. 2nd edn. Baltimore: Johns Hopkins University Press.

Okabe K, Makino S. 2008. Parasitic mites as parttime bodyguards of a host wasp. Proceedings of Royal Society B 275: 2293–2297.

Okabe K, Makino S. 2010. Conditional mutualism between *Allodynerus delphinalis* (Hymenoptera: Vespidae), and *Ensliniella parasitica* (Astigmata: Winterschmidtiidae) may determine maximum parasitic mite infestation. Environmental Entomology 39: 424–429.

Pitts-Singer TL, Cane JH. 2010. The alfalfa leafcutting bee, *Megachile rotundata*: the world's most intensively managed solitary bee. Annu Rev Entomol. 56: 221-237.

Rader R, Howlett BG, Cunningham SA, Westcott DA, Newstrom-Lloyd LE, Walker MK, Teulon DAJ, Edwards W. 2009. Alternative pollinator taxa are equally efficient but not as effevtive as the honeybee in a mass flowering crop. J Appl Ecol. 46: 1080-1087.

Torchio PF. 1976. Use of *Osmia lignaris* Say (Hymenoptera: Apoidea, Megachilidae) as a pollinator in an apple and prune orchard. J Kansas Entomol Soc. 49(4): 475-482.

Weissmann JA, Schaefer H.2017. The importance of generalist pollinator complexes for endangered island endemic plants. Arquipelago. Life and Marine Sciences 35: 23-40.

Winfree R, Reilly JR, Bartomeus I, Cariveau DP, Williams NM, Gibbs J. 2018. Species turnover promotes the importance of bee diversity for crop pollination at regional scales. Science. 359:791-793.

Winfree R, Williams NM, Gaines H, Ascher JS, Kremen C. 2008. Wild bee pollinators provide the majority of crop visitation across land-use gradients in New Jersey and Pennsylvannia, USA. J Appl Ecol. 45: 793-802.

Yokoi T, Idogawa N, Kandori I, Nikkeshi A, Watanabe M. Watanabe. 2017. The choosing of sleeping position in the overnight aggregation by the solitary bees *Amegilla florea urens* in Iriomote Island of Japan. Sci Nat. 104:23.

陸聲山、葉文琪、宋一鑫（2016）。台灣雲嘉地區農林環境之借坑性築巢蜂類物候及群聚分析。台灣昆蟲。36：107-123。

清‧程瑤田，《釋草釋蟲小記‧螟蛉蜾蠃異聞記》，《續修四庫全書》影印清嘉慶八年刻通藝錄本。

楊維晟 (2010)。野蜂放大鏡。台灣：天下文化。

《臺灣生物多樣性資訊網 -TaiBIF》Hymenoptera 膜翅目：
http://taibif.tw/zh

房 東 筆 記 本
蜂 之 樹 動 手 做

準備好了嗎？現在，捲起你的袖子，
跟著我們一步步打造
「人生第一棟獨居蜂旅館」吧！

隨書附上的獨居蜂旅館，是一棵 3 層、18 排房間的
「蜂之樹」。下方 2 層為擁有透明觀察房；平時沒
有要觀察時，請記得用上層屋簷讓房間保持黑暗
狀態，這樣才能提高蜂媽媽來訪的機會。

開始之前，先來確認一下旅館建材：
● 上層房板
實木房板（僅有孔洞）X2
觀察房板（有透明壓克力上蓋）X4
梯形插榫 X6
● 樹幹支架
三角柱 X1
圓柱 X1
底盤 X1
● 附件
白膠 X1

STEP 1　先將上層實木板兩片有凹槽處對齊，
　　　　　並在接合面塗上白膠。

凹槽

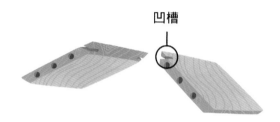

STEP 2　將接合處緊密壓實，
　　　　　再把插楯從兩側凹槽中插入。

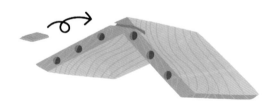

（請注意梯形方向，上方為短邊，下方為長邊）

STEP 3　將兩片觀察板依照 STEP 1、2 的方式接合，注意透明壓克力面需要朝上。

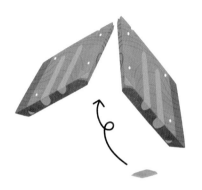

STEP 4　將原盤底座以及三角柱中央凹槽塗上白膠，再以圓柱將兩者緊密接合。

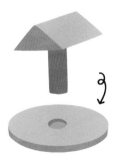

STEP 5　待底座與房板接合處完全乾燥後，
即可層疊組裝。

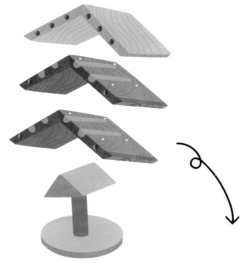

STEP 6　噹噹！你的第一棟獨
居蜂旅館就完成囉！

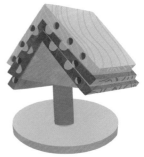

◀ 在自家陽台擺放蜂之樹旅館。

▼ 附透明板片方便進行內部觀察。

美麗的蜂之樹哪裡買？

可至全台實體書店、網路書店購買禮盒版（限定販售點），
或搜尋官網私訊購買。歡迎成為蜂旅館的好房東！

 COME BACK to ME x 城市養蜂是 Bee 要的　GO

《BBC 知識》國際中文版　GO

● 擺放方式：

蜂之樹適合擺放在家中陽台、頂樓或是花園，但因蜂之樹房板為活動式設計，建議避開有強風的位置。擺放時也務必遠離潮溼地區，且須離地 30 公分以上，像是窗台或是窗架上都是不錯的選擇。但是請不要擺在沒有對外聯通的室內空間（像是你的辦公室、房間），否則蜂媽媽很難找得到你的蜂之樹，最後就淪為裝飾品了！

● 適合樓層高度：

獨居蜂媽媽尋找旅館的能力非常好，根據目前紀錄，獨居蜂媽媽大多能在 15 樓以下的窗台旅館生寶寶，最高樓層則是出現在高雄一間超過 20 樓的大廈陽台旅館。

● 觀察時機：

當你發現旅館門口已有泥土或樹葉、乾草封住時，就代表蜂媽媽已經來訪下蛋了。這時你可以拿起最上層的實木板片，即可清楚地觀察到旅館房間蜂寶寶的生活情形。每次觀察完後，務必要將上層實木板蓋回去，減少獨居蜂寶寶受到外界光線的干擾。蜂寶

寶長大後，會自行羽化離巢，這時你會觀察到房間門口的泥塊或葉片被咬開，表示新一代的獨居蜂已經離開。

● 清理方式：

當房門打開後，巢內所有的兄弟姐妹約在一兩個星期就會全數離巢。只要沒有其他蜂媽媽再來生寶寶，你就可以將觀察板取出，用螺絲起子把透明版取下，並以舊牙刷刷掉房間裡的舊巢，再用75％酒精稍作擦拭、晾乾後，就可以將透明板鎖回去，等待下一位蜂媽媽來訪。

其中一層實木板，算是較有隱私的房間，你無法看裡頭的狀況。但可以依據第一隻獨居蜂羽化離巢的時間做推算，其他的蜂寶寶同樣約一兩週後就全部離巢。這時，你可以用竹筷子或樹枝戳一戳，把內部的土塊、葉子清出後，就能夠再接待新的客人。

房 東 筆 記 本
板 片 觀 察 紀 錄 表

身為專業的獨居蜂旅館房東，拿出筆記本核對一下房客資訊是很重要的。在此準備了「板片紀錄表」，提供給充滿科學家精神的包租公、包租婆們。每份表單是單個觀察板的詳細紀錄表，可以依照板片上每一管的位置記錄所觀察到的房客狀況，藉此了解房客在旅館中吃了哪些食物、蜂媽媽使用的門片材質以及住了多久。

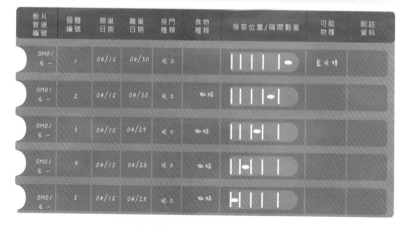

板片紀錄表填表方式範例

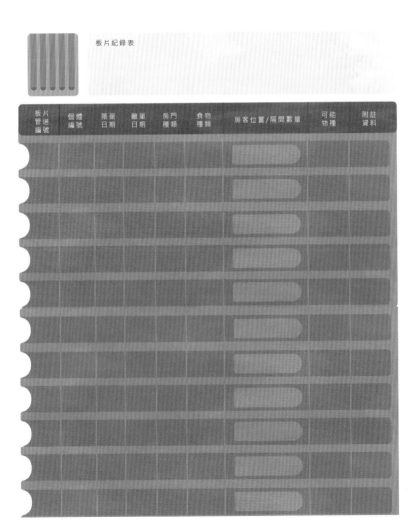

板片紀錄表

板片 管道 編號	個體 編號	築巢 日期	離巢 日期	房門 種類	食物 種類	房客位置/隔間數量	可能 物種	附註 資料

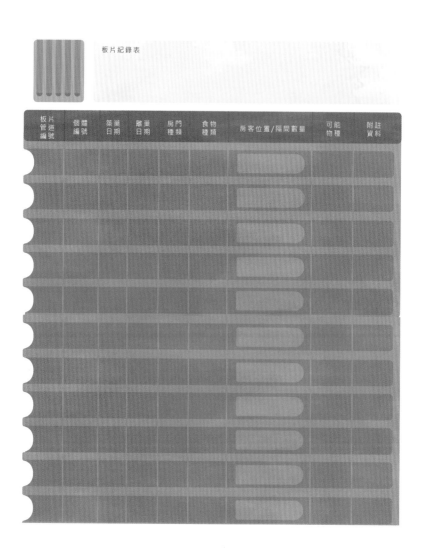

板片紀錄表

板片 管道 編號	個體 編號	築巢 日期	離巢 日期	房門 種類	食物 種類	房客位置/隔間數量	可能 物種	附註 資料

板片紀錄表

板片管道編號	個體編號	築巢日期	離巢日期	房門種類	食物種類	房客位置/隔間數量	可能物種	附註資料

國家圖書館出版品預行編目資料

城市養蜂是Bee要的：打造我家的獨居蜂旅館/ 城市方舟工作室著. -- 初版. --
　臺北市：紅樹林出版：家庭傳媒城邦分公司發行, 民109.05
　112面；14.5X17公分. -- (Earth011)

　ISBN 978-986-97418-3-5 (平裝)

1.養蜂 2.自然保育 3.問題集
437.83022　　　　　　　　　　　　　　　　　109003566

EARTH 011

城市養蜂是 Bee 要的：打造我家的獨居蜂旅館

作　　　者／城市方舟工作室
責 任 編 輯／鄭兆婷
總　 編　 輯／辜雅穗
行 銷 業 務／鄭兆婷
總　 經　 理／黃淑貞
發　 行　 人／何飛鵬
法 律 顧 問／台英國際商務法律事務所 羅明通律師
出　　　版／紅樹林出版
　　　　　　台北市 104 民生東路二段 141 號 7 樓
　　　　　　電話：(02) 2500-7008　傳真：(02) 2500-2648
發　　　行／英屬蓋曼群島商家庭傳媒股份有限公司 城邦分公司
　　　　　　台北市中山區民生東路二段 141 號 2 樓
　　　　　　書虫客服服務專線：02-25007718；25007719
　　　　　　24 小時傳真專線：02-25001990；25001991
　　　　　　服務時間：週一至週五上午 09:30-12:00；下午 13:30-17:00
　　　　　　郵撥帳號：19863813　戶名：書虫股份有限公司
　　　　　　讀者服務信箱：service@readingclub.com.tw
　　　　　　城邦讀書花園：www.cite.com.tw
香港發行所／城邦（香港）出版集團有限公司
　　　　　　香港灣仔駱克道 193 號東超商業中心 1 樓　信箱：hkcite@biznetvigator.com
　　　　　　電話：(852) 25086231　傳真：(852) 25789337
馬新發行所／城邦（馬新）出版集團 Cite (M) Sdn. Bhd.
　　　　　　41, Jalan Radin Anum, Bandar Baru Sri Petaling,
　　　　　　57000 Kuala Lumpur, Malaysia
　　　　　　電話：(603) 90578822　傳真：(603) 90576622　信箱：cite@cite.com.my

封 面 設 計／李東記
內 頁 排 版／極翔企業有限公司
印　　　刷／卡樂彩色製版印刷有限公司
經 銷 商／聯合發行股份有限公司
　　　　　　電話：(02)29178022　傳真：(02)29110053

■ 2020 年（民 109）5 月初版　　　　　　　　　　　　Printed in Taiwan

定價 360 元

城邦讀書花園
www.cite.com.tw